LOS ELEGANTES, LA NIÑA Y EL HUEVO DE CHOCOLATE

*Para el rey
Frankie Murguia que
me regaló la semilla*
K.C.

Para Paula y Mateo
T.M.

DIRECCIÓN EDITORIAL: Cristina Arasa
COORDINACIÓN DE LA COLECCIÓN: Mariana Mendía
EDICIÓN: Ariadne Ortega González
DISEÑO: Javier Morales Soto

Los Elegantes, la Niña y el huevo de chocolate

Texto D. R. © Karen Chacek, 2014
Indent Literary Agency
www.indentagency.com
Ilustraciones D. R. © Teresa Martínez, 2015

PRIMERA EDICIÓN: diciembre de 2015
D. R. © 2015, Ediciones Castillo, S. A. de C. V.
Castillo ® es una marca registrada.

Insurgentes Sur 1886. Col. Florida.
Del. Álvaro Obregón.
C. P. 01030, México, D. F.

Ediciones Castillo forma parte del Grupo Macmillan.

www.grupomacmillan.com
www.edicionescastillo.com
infocastillo@grupomacmillan.com
Lada sin costo: 01 800 536 1777

Miembro de la Cámara Nacional de la Industria Editorial Mexicana.
Registro núm. 3304

ISBN: 978-607-621-303-2

Impreso en México / *Printed in Mexico*

CASTILLO DE LA LECTURA

LOS ELEGANTES, LA NIÑA Y EL HUEVO DE CHOCOLATE

KAREN CHACEK

Ilustraciones de Teresa Martínez

UN CAPRICHO AL DÍA

El barco pirata del que todos hablaban se llamaba Abracadabra. Navegaba en las noches vestido de negro tornasol como los peces fantasma del fondo del océano. Era el barco de los Elegantes, los piratas más temidos de las aguas de los cinco continentes.

En los grandes buques de carga, los recios botes pesqueros, los otros barcos pirata, incluso en las embarcaciones de los reinos, se respiraba tal inquietud por toparlos que nadie en alta mar se animaba a apagar las luces de la popa de noche. ¡Como si eso les fuera a servir de algo! Ja.

Los Elegantes no eran un puñado de andrajosos caraduras ni navegaban armados. Todo lo contrario. ¡Por eso ningún navío se libraba de su arribo repentino!

   Sigilosos, pulcros y esmerados, los Elegantes
eran expertos en pasar inadvertidos. Dime tú,
¿cuándo te has topado con una sombra que
haga ruidos o apeste a algo?

   En las tabernas corría el rumor de que el
Abracadabra había sido fabricado con madera
de árboles negros, de los que crecen en los
bosques del norte de Polonia.

Los rumores aseguraban que los camarotes del barco estaban decorados con figuras de florestas e insectos marinos que brillaban en la oscuridad. Y se decía que la madre del capitán había sido la costurera de un palacio importante y que, de regalo a su hijo, había zurcido esas grandes velas de tela transparente con las que se impulsaba el navío.

Era difícil saber si algo de lo que se contaba era cierto. Los vigías nocturnos que aseguraban haber descubierto el barco lo habían perdido de vista en menos tiempo del que les tomaría gritar: "¡Lo veo!".

Pero ¿es que de día tampoco nadie lo veía?

Nadie. El Abracadabra simplemente desaparecía como por arte de magia.

El Capitán Elegante era un pensador incansable. También el hombre mejor vestido de la mar. En los puertos de Oceanía había descubierto telas increíbles. Él mismo reinventaba su ropa de modo caprichoso, acorde al tema que habría de meditar en el día.

Vestía trajes vaporosos para reflexionar sobre la libertad. Trajes con diseños circulares cuando hablaba de ciencia. Y triangulares cuando se trataba de justicia. Al pensar en la amistad prefería llevar puesto un gato. Se había confeccionado un sombrero especial para que los felinos de la cubierta se le treparan encima.

A veces pasaba horas conversando a solas con su reflejo —y créeme, no siempre se ponían de acuerdo.

El Cocinero Elegante —cuyo nombre nos está prohibido mencionar— parecía un verdadero fantasma. Su piel era tan transparente como la gelatina de anís y los abrigos impermeables. Su nariz pecosa y educada podía reconocer casi cualquier aroma.

Y pensar que, años atrás, los periódicos más populares de los cinco continentes lamentaron la misteriosa desaparición del chef del mejor restaurante del mundo.

"Llámenme Cocinero a secas", pidió el pálido chef aquel primer día que subió al Abracadabra, con la mano aferrada a la manija de su caja de cuchillos personales.

Ahora el Abracadabra era el mejor restaurante del mundo, pero eso lo sabían únicamente sus tripulantes y uno que otro comerciante astuto, dispuesto a intercambiar mercancía preciada por un platillo *gourmet* que nunca hubiera imaginado posible.

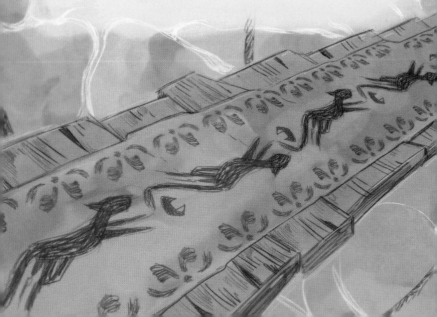

De acuerdo con la temporada del año y la ruta marítima del navío, la cocina del barco cambiaba de nacionalidad. Nunca faltaba un platillo festivo. Aunque nada se comparaba con el banquete de celebración que se ofrecía luego de descubrir un ingrediente desconocido.

La verbena podía durar hasta la madrugada. Era uno de esos raros momentos en los que los tripulantes se permitían perder la compostura, escupir el vino al reír y hablar con la boca llena.

Eso sí. La Niña tenía que irse a dormir temprano. ¿La Niña?

Shhhh. ¿A quién se le salió decir eso?

La niña era el secreto mejor guardado.

Nadie sabía cuántos años tenía, porque ella vivía en el barco desde mucho antes de que los otros llegaran. Lo curioso era que, a pesar del paso del tiempo, nunca dejaba de ser una niña.

Fue en los mares agitados de Alaska que el Capitán Elegante —siendo todavía el oficial de cubierta de un buque pesquero— encontró varado el barco tornasol de la Niña.

¿Por qué una niña estaba sola en una embarcación tan grande? Y acompañada sólo de siete gatos y dos ancianos gemelos.

Cuando el Capitán subió a inspeccionar aquel navío, los viejos mellizos lo recibieron con risas. Le dijeron que el nombre del barco era Abracadabra y que esa palabra provenía del arameo, un idioma aún más viejo que el hebreo, y que *Avra kehdabra* significaba literalmente: "Yo crearé con mi palabra".

Luego, la Niña le mostró al Capitán su camarote favorito, en el que guardaba una colección de semillas extrañas. Le dijo riendo que las semillas eran como las palabras. Y al final, le susurró algo al oído.

Dos días después, el oficial se mudó a vivir al barco y —a petición de la Niña— se hizo llamar el Capitán Elegante. Los ancianos gemelos le enseñaron a decir en arameo: "Sírvame más patatas".

El resto de los Elegantes se fueron sumando a la tripulación en diferentes puertos. Algunos nunca habían viajado en el mar.

El Contramaestre solía ser el encargado de una tienda de instrumentos musicales en un puerto solitario. Coleccionaba pentagramas de obras sinfónicas (algunas eran rarísimas) y podía ejecutar una sinfonía completa con sólo nueve copas de agua. Un día que la Niña visitó la tienda, conversaron sobre pianolas. Después ella le susurró algo al oído y al día siguiente, el hombre subió al barco en compañía de sus pertenencias más queridas.

La niña conoció al Vigía, cuando éste trabajaba de bibliotecario ambulante en una plaza pública.

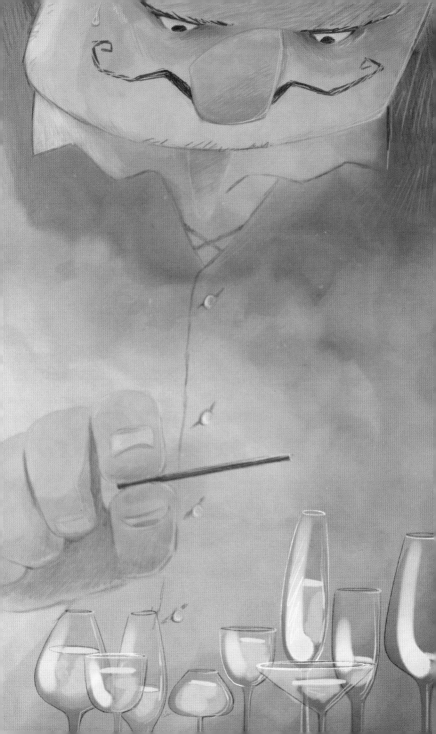

Intercambiaba libros con los paseantes. Cuando tocó el turno de hacerlo con la Niña, descubrieron que ambos apreciaban las historias de seres inmortales. La Niña le susurró algo al oído y el hombre le mostró su colección de catalejos extraordinarios, con los que podía leer cualquier clase de libros, aun aquellos escritos al revés o tallados en el cascarón de un huevo.

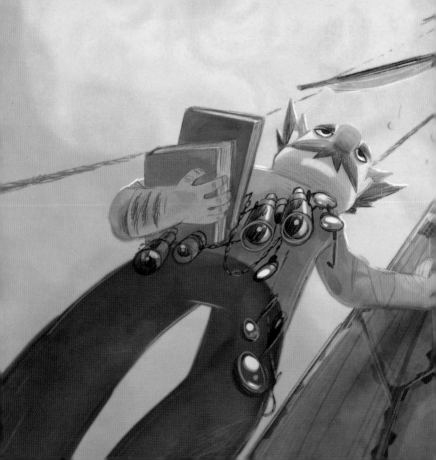

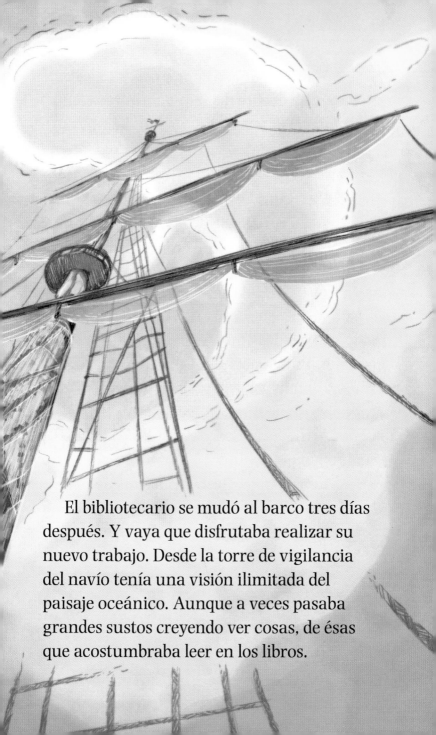

El bibliotecario se mudó al barco tres días después. Y vaya que disfrutaba realizar su nuevo trabajo. Desde la torre de vigilancia del navío tenía una visión ilimitada del paisaje oceánico. Aunque a veces pasaba grandes sustos creyendo ver cosas, de ésas que acostumbraba leer en los libros.

Sentarse a la mesa a comer con los Elegantes era toda una aventura. Te preguntarás cómo podían navegar juntos siendo tan diferentes.

Algo más grande que su lugar de nacimiento, su religión, su origen o su dentadura los unía: todos, absolutamente todos a bordo, eran coleccionistas. Y los que comparten aficiones, se respetan entre sí.

El barco se había convertido en su continente. Y cada uno de ellos en un país.

La Niña les había prometido al oído llevarlos a navegar por las aguas del mundo —incluidas las de los mares recónditos dentro de los océanos conocidos—, ayudarlos a recolectar esos objetos que tanto apreciaban y cuyos dueños actuales tenían olvidados desde hacía mucho tiempo.

Lo único que la Niña les había pedido a cambio era que le cumplieran un capricho al día. Ninguno de los reclutados puso objeción.

Ellos habían sido niños alguna vez.

Dice la sabiduría popular que todo coleccionista es un adulto que se pasa la vida tratando de recuperar un instante de su infancia. Y quizá eso sea cierto.

Cada uno de los Elegantes tenía un momento especial del día en el que le gustaba encerrarse en su camarote a contemplar los ejemplares que integraban su colección.

Así las cosas, el Abracadabra navegaba cargado de telas, utensilios de cocina, lupas, sinfonolas, papeles, jabones, gatos, semillas y personajes imaginarios, que los Elegantes tomaban con delicadeza de los barcos vecinos.

El temor que despertaban en los marineros de los otros navíos poco tenía que ver con la desaparición de unos cuantos objetos. Lo que realmente asustaba a las mujeres y hombres de mar más valientes era saber que a su barco había subido un grupo de forasteros que nadie había visto.

Eso significaba que los Elegantes no eran ánimas que vagaban por los océanos, sino ¡verdaderos espectros de carne y hueso! ¿Qué podría ser más estremecedor que eso?

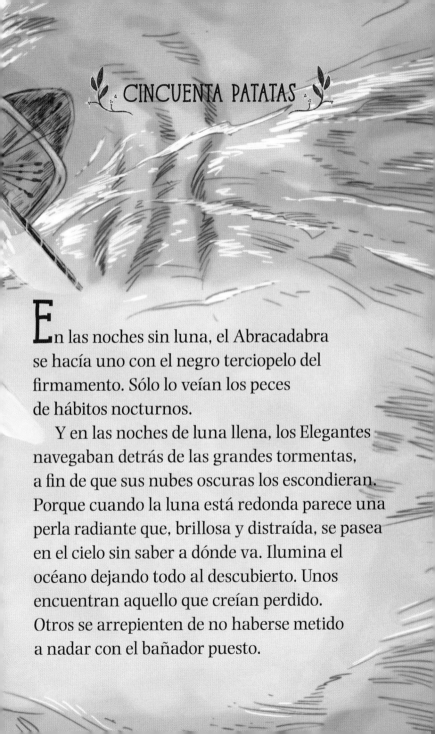

CINCUENTA PATATAS

En las noches sin luna, el Abracadabra se hacía uno con el negro terciopelo del firmamento. Sólo lo veían los peces de hábitos nocturnos.

Y en las noches de luna llena, los Elegantes navegaban detrás de las grandes tormentas, a fin de que sus nubes oscuras los escondieran. Porque cuando la luna está redonda parece una perla radiante que, brillosa y distraída, se pasea en el cielo sin saber a dónde va. Ilumina el océano dejando todo al descubierto. Unos encuentran aquello que creían perdido. Otros se arrepienten de no haberse metido a nadar con el bañador puesto.

Fue un martes de luna llena, que el Vigía Elegante descubrió con uno de sus catalejos el barco del rey Francisco. Navegaba lento y despreocupado por los mares del Este. En la cubierta del navío se jugaba un partido nocturno de tenis. Los tripulantes a bordo estaban bastante entretenidos.

Había dos cosas en el mundo que al rey Francisco le gustaban con locura: el tenis y el chocolate.

La Niña había oído que la mascota del rey Francisco era una gallina ponedora de huevos de chocolate. Por eso saltó de alegría al saber que el barco estaba a la vista.

—¡Quiero un huevo de chocolate de la gallina del rey Francisco! —exclamó con todas sus fuerzas. Después corrigió lo dicho:

—No, no. ¡Quiero toda la gallina!

Los tripulantes del barco se alarmaron al escucharla. Nunca se le negaba un capricho, pero nadie a bordo quería recordar lo que había sucedido la vez que tuvo una caries. Por fortuna, aquella vez el Cocinero le sirvió un brebaje en una copa triangular bien helada, que la durmió hasta que llegaron con el dentista.

—Si me permite, Niña —dijo el Capitán Elegante—, despojar al rey Francisco de su mascota preferida sería cruel y desalmado. Somos piratas nobles y coleccionistas; no hacemos barbaridades.

La Niña lo miró emberrinchada.

—Lo que sí haremos —añadió el Capitán— será traerle un huevo de chocolate de los que haya puesto la gallina, pero debe prometernos que se lavará los dientes después de comerlo.

La Niña cerró ambas manos en puños.
No le gustaba la idea, aunque tener un huevo
de chocolate sería mejor que no tener nada.
Sus libros de magia contenían toda clase de
hechizos, pero ni una sola fórmula para
aparecer gallinas ponedoras de huevos de
chocolate. La vez que se le ocurrió hacer
experimentos, los resultados fueron... muy
distintos a lo que esperaba. Lo bueno es que un
zoológico de animales extraños aceptó hacerse
cargo de las criaturas.

La Niña aceptó a regañadientes la oferta
del Capitán Elegante.

Los tripulantes del Abracadabra, incluidos
los siete gatos y los viejos gemelos, respiraron
con inmenso alivio.

El Capitán Elegante dio la orden de alistarse
para el nuevo cometido. Y la instrucción le dio
la vuelta entera al navío.

Los Elegantes hicieron fila para ducharse.
Unos lustraban sus zapatos, otros planchaban
sus mejores trajes. Una vez emperifollados,
todos se calzaron sus guantes.

Los ancianos mellizos se dieron a la tarea
de meter al horno cincuenta patatas enteras,

como era la costumbre antes de cada nueva
misión: si los Elegantes regresaban antes de
que las patatas se cocinaran, significaba que la
operación había sido un éxito. Si las patatas se
doraban, era señal de que los Elegantes estaban
en aprietos.

La Niña negoció con la tormenta el
préstamo de una discreta nube de niebla.
Navegaron ocultos en ella hasta topar con el
barco del rey Francisco. Saltaron al interior

de la embarcación sin hacer ni el más mínimo
ruido. El partido de tenis iba empatado 4-4
en el tercer set.

Lo que hallaron en los salones y las cabinas
del barco dejó a todos boquiabiertos. Dicen que
comer demasiada azúcar causa alucinaciones.
Aunque ni cómo saber qué sucedió primero: si
el chocolate provocó las locuras del rey Francisco
o que al mudarse a vivir a ese barco, cultivó su
afición al chocolate.

Los mosaicos del piso del salón de baile trazaban un camino que le daba la vuelta al techo. En esa embarcación se hacía cualquier cosa con tal de curarle los mareos a la reina. El rey Francisco la adoraba, sin importarle lo indecisa que fuera al elegir sus trajes. Ella, a su vez, lo quería más que a nadie y celebraba todas sus ocurrencias.

El Vigía nunca había leído en sus libros algo parecido a lo que encontró en los camarotes reales. "¡Por todos los cielos!", pensó, y deseaba gritar de alegría, pero no podía arriesgarse a que algún guardia del barco lo escuchara.

El Contramaestre se aguantaba las lágrimas recostado en aquel piso adornado del comedor principal. El lugar estaba convertido en una sala de conciertos magnífica. "Ojalá vieras esto, papá", recitaban sus labios sin hacer ruido.

El Capitán Elegante se había internado en los vestidores reales. A fuerza de brazadas discretas, nadaba en ese mar de textiles glorioso y se llenaba la cabeza de temas nuevos sobre los cuales reflexionar.

El Cocinero se había sentado en posición de sastre arriba de un canasto de naranjas, en un rincón del almacén de alimentos.

Con una mano sosteniéndole la barbilla y los ojos a medio abrir, dejaba que el aroma de las especias exóticas de los frascos viniera a presentarle sus respetos, mientras ideaba la manera de llegar a esa canastilla colgante que albergaba tres huevos de chocolate.

Como en el barco no resultaba muy claro cuál era el arriba y cuál el abajo, ideó una manera poco convencional de asir uno de los huevos. Después fue auxiliado por el resto de sus camaradas para salir bien librado. Los Elegantes emprendieron la retirada. Cargaban consigo un rollo de tela estampada, un banjo para zurdos, un huevo de chocolate, tres frascos de especias de China, un espejo cóncavo y tres libros en braille.

Caminaron sigilosos por los pasillos del navío. No había un solo guardia a la vista. La situación lucía de maravilla.

Pero ¿dónde estaba la salida?

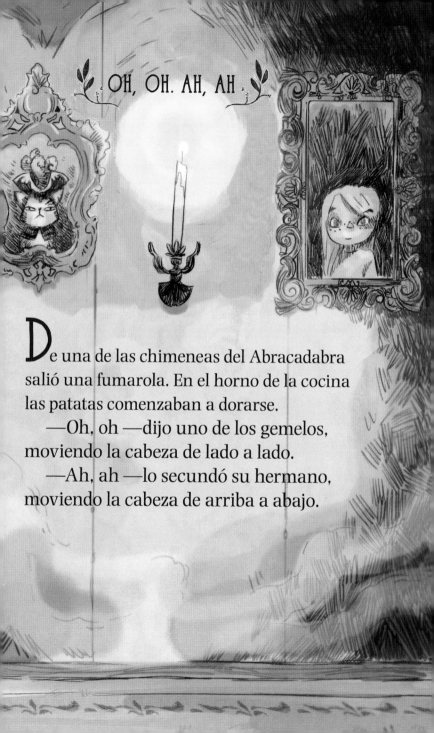

OH, OH. AH, AH

De una de las chimeneas del Abracadabra salió una fumarola. En el horno de la cocina las patatas comenzaban a dorarse.

—Oh, oh —dijo uno de los gemelos, moviendo la cabeza de lado a lado.

—Ah, ah —lo secundó su hermano, moviendo la cabeza de arriba a abajo.

La Niña hizo bizco y, emberrinchada, recorrió la cubierta. Después entró en el camarote de los cojines y tomó a uno de los siete gatos. Lo llevó en brazos hasta llegar a la proa y lo soltó sobre la barandilla del barco. Tras susurrarle algo al oído, el felino se estiró perezoso y, sin perder el equilibrio, caminó hasta desaparecer de su vista.

La Niña dejó salir un suspiro que aleteó en el aire como si fuera una mariposa nocturna. Un momento, aquello era una verdadera mariposa nocturna.

La Niña inclinó la cabeza para ver hacia arriba: las nubes de la tormenta viajaban veloces y la luna redonda centellaba en el cielo presumida. La Niña temió que esa noche algún otro barco en la mar los descubriera, así que le ordenó a los gemelos que apagaran esa gran lámpara en el cielo.

Los ancianos mellizos trajeron un arpón de pesca gigantesco. Lo apuntaron hacia la luna brillante y, a la cuenta de tres y medio, dispararon.

—¡Abracadabra! —gritó la Niña.

Una lluvia vigorosa se dejó caer sobre ellos y en un instante el firmamento se quedó a oscuras.

—Sospecho que logramos poncharla —dijo uno de los viejos.

En el barco del rey Francisco se prendieron las luces de la cubierta y se abrieron docenas de sombrillas. Nadie quería perderse el final del partido de tenis.

Los Elegantes caminaban por un largo pasillo cuando se toparon con una puerta dibujada en la pared. La puerta tenía empotrado en el marco un foco auténtico y rechoncho que estaba encendido.

—Eso no tiene ninguna lógica —dijeron.

El Capitán se recargó en la pared para pensar un momento. La pared dio la vuelta como lo hacen las puertas giratorias. Los demás tripulantes lo siguieron a ese cuarto gigantesco, en el que en vez de tapete había un pasto color oruga que se las arreglaba para crecer bajo techo.

—¡Allá! —gritó el Vigía.

—¿Esa cosa fea es la que pone los huevos de chocolate? —preguntó el Contramaestre.

—Ninguna palabra sobre esto a la Niña —ordenó muy serio el Capitán Elegante al resto de sus camaradas, mientras el Cocinero se guardaba en la bolsa una pluma suelta, con la que le podría provocar cosquillas hasta a una estatua de piedra.

Se encontraban en el corral de la gallina de los huevos de chocolate. Junto a la cama de paja en la que la criatura empollaba, había un sillón acojinado y, detrás, un estante con libros de aventuras. Ahí el rey Francisco le leía historias.

La pared por la que entraron se había cerrado detrás de ellos y ahora en el cuarto había seis puertas idénticas dibujadas: una en el techo, otra en el piso y una en cada pared del cuarto. Cada puerta tenía en su marco el mismo tipo de foco rechoncho, pero todos los focos estaban apagados porque en el corral había luz de sobra.

Los Elegantes se miraron entre ellos. Ya nadie sabía por cuál de las puertas dibujadas

habían entrado. Y tratándose de ese barco sin arriba ni abajo, cualquiera de las puertas los podría conducir de regreso al interior del buque o tal vez al centro de la cancha de tenis —donde interrumpirían el partido y los guardias del rey Francisco los atraparían— o bien a las entrañas de ese mar agitado, hogar de tiburones hambrientos, por el que navegaba el barco.

¿Cómo saldrían de semejante aprieto?

¿Cuál de las seis puertas sería la correcta?

El Capitán Elegante pidió calma a sus acompañantes y confiado sacó de su bolsillo una brújula, pero ésta duró unos segundos sobre la palma de su mano, pues aquella gallina extraña se la comió de un bocado. ¿Qué no saben que las gallinas se comen todo, absolutamente todo? Bueno, casi todo.

De un costado de la gallina asomó la cabeza el gato de la Niña. Observó a los Elegantes como diciendo: "Vaya, un montón de humanos tontos", y se lamió una pata.

La gallina cacareó algo que más bien sonó a risa. El gato se estiró para desentumecerse. Luego corrió presumido por el cuarto y jugó a golpear con la punta de su cola cada uno de los focos en los marcos de las puertas dibujadas. Sólo una vez expulsó un chirrido y el cuarto olió a pelo quemado.

—¡Ésa es! —exclamó firme el Capitán Elegante—. La puerta con el único foco caliente es aquella por la que acabamos de entrar al cuarto.

Después de todo, en el barco del rey Francisco reinaba algo de lógica.

Así pues, guiados por el gato de la Niña, los Elegantes atravesaron tres pasadizos y dos escaleras más. Por fin encontraron el camino de regreso a su barco.

En la cocina, la Niña los esperaba molesta. Las patatas en el horno lucían casi negras. El Capitán Elegante le entregó el huevo de chocolate a la Niña y consiguió hacerla sonreír a medias.

El Abracadabra zarpó hacia el Oeste.

La tormenta se disolvió silenciosa, llevándose consigo sus nubes negras.

La luna en el cielo resplandeció magnífica.

Mientras tanto, en el barco del rey Francisco alguien gritó:

—¡Punto para partido!

Otro más exclamó:

—¡Su Alteza, nos han robado un huevo!

El juez de línea preguntó:

—¿Debo interrumpir el juego?

El rey Francisco respondió:

—¡Sigan agitando los pañuelos! ¡Aposté media barba en este partido!

A bordo del Abracadabra, el Cocinero preparó un banquete de almejas, frambuesas y trufas que repartió en siete platos, uno para cada gato.

Los micifuces cantaron, saltaron, bebieron y, sin otra preocupación en el mundo, se durmieron.

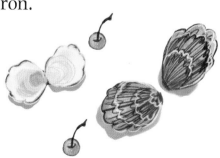

A la mañana siguiente, el rey Francisco
—con media barba— dio la orden de izar
las banderas de batalla. Él y sus tripulantes
irían tras esos bandidos osados, que se
habían atrevido a subir al barco y llevarse
el tesoro más preciado de su soberano.

Siguieron a una bandada de pelícanos
que avanzaba en dirección al Oeste.

El Vigía del barco del rey Francisco avistó un navío, que con los rayos del sol brillaba de un extraño color entre rubí y naranja.

Vaya sorpresa que se llevaron al descubrir que en aquel barco tornasol viajaban una niña, siete gatos, dos ancianos mellizos y una tripulación de chiflados.

—¡Ten cuidado, Niña, que hay piratas merodeando! —le aconsejó el Primer Oficial.

Con la boca embarrada de chocolate, la Niña le dio las gracias. Después les deseó un buen viaje.

El rey Francisco vio todo desde la escotilla del camarote y soltó una carcajada real. Ésa niña sí que era descarada. Las marcas que dejaba el chocolate empollado por su gallina eran inconfundibles —o eso era lo que él aseguraba.

Bien podría mandar hundir aquel barco sin tener que explicarle el motivo a nadie.

Sin embargo, ¿cómo disparar contra el barco de una niña? Si acaso, habría que sacarla de allí primero. Pero si la salvaba ¿qué diablos haría con ella?

El rey mejor se acostó a dormir una siesta.

Impreso en los talleres de
Editorial Impresora Apolo, S.A. de C.V.
Centeno 150-6, Col. Granjas Esmeralda,
C.P. 09810, México, D.F.
Diciembre de 2015.